Gallimard Jeunesse / Giboulées sous la direction de Colline Faure-Poirée

© Gallimard Jeunesse, 1999
ISBN : 2-07-051532-X
Premier dépôt légal : novembre 1999
Dépôt légal : mai 2004
Numéro d'édition : 491
Loi n°49956 du 16 juillet 1949
sur les publications destinées à la jeunesse
Imprimé en Chine

Georges le Rouge-Gorge

Antoon Krings

GALLIMARD JEUNESSE / GiBOULÉES

Malgré la neige et le froid qui ébouriffaient son plumage, Georges tendait vers le ciel son plastron rouge et chantait devant la fenêtre où une main amie éparpillait au matin du pain pour les oiseaux.

Si votre nappe est blanche,
Je ne vois pas le couvert
Et encore moins le dessert.
Faut-il faire la manche,
Cher Monsieur Hiver ?

Son couplet achevé, il allait vite
s'assurer qu'on avait bien jeté les
miettes. Il en ramassait alors
furtivement quelques-unes avant de
disparaître derrière les arbres.
Mais ce matin il n'y en eut pas.
À coups de bec avides, les moineaux,
plus hardis, les avaient toutes mangées.

Quand notre rouge-gorge revint de
bonne heure le jour suivant, il n'eut
pas plus de chance. Les pique-assiette
étaient déjà sur place et commençaient
à se chamailler autour de la précieuse
nourriture. Un gros merle plein
de convoitise en profita pour chasser
quelques convives, et Georges,
tout dépité, dut s'enfuir.

Caché dans les buissons alentour,
il aperçut Benjamin le lutin en train
de dégager un étroit sentier devant sa
maison enneigée. Georges se mit
à le suivre, en scrutant le sol avec espoir.
Mais la terre était trop dure pour en
tirer le moindre ver, et le petit homme
bien trop occupé : « J'ai autre chose à
faire que de semer des graines en hiver »,
grommela-t-il dans sa barbe givrée.

Georges n'en écouta pas davantage.
Il abandonna le vieux grincheux à sa
tâche et s'envola dans un léger bruit
d'ailes. Bientôt, il arriva en vue
d'une maisonnette : «Une petit miette,
une petite miette…» implora-t-il en
tapant au carreau de la fenêtre.
Il ignorait sans doute que Mireille vivait
là, et qu'en cette saison elle dormait
profondément. Aussi répéta-t-il ses
appels avec insistance, jusqu'à ce que
l'abeille ouvrît la fenêtre… et la refermât
sur un «J'ai déjà donné» fatigué.

Découragé, Georges s'éloigna et erra de-ci de-là à la recherche de quelques baies d'églantier ou de sorbier.
Quand, soudain, il lui sembla entendre un profond soupir et, s'approchant, il découvrit, assise sous un arbre, une petite souris qui pleurait à chaudes larmes. La pauvre ne semblait pas réchauffée pour autant. Toute repliée sur elle-même, elle tremblait de la tête à la queue.

— Je me suis perdue, dit-elle enfin. Et un chat s'est mis à me…

— Un chat ! s'écria Georges en sursautant. Excuse-moi, souris, je dois m'en aller. Brr… Avec ce sale temps, j'ai bien peur d'attraper froid, et c'est très mauvais pour un rouge-gorge d'avoir la gorge rouge.

– Oh, je t'en prie, il faut vraiment que je rentre chez moi… supplia-t-elle.

– Bon, alors dépêche-toi, répondit Georges. Grimpe sur mon dos et sauvons-nous d'ici.

Arrivée à la hauteur des arbres, la souris découvrit le jardin comme jamais elle ne l'avait vu.

– Maintenant je sais où nous sommes, j'habite juste là, dans la grande maison ! s'écria-t-elle.

Georges la déposa et elle courut vite
le long du mur. Puis elle s'arrêta devant
une porte minuscule. Elle l'ouvrit et fit
signe au rouge-gorge de la suivre dans
le long couloir étroit et sombre
qui conduisait à son séjour.

Après avoir allumé une bougie, la souris
sortit de son buffet une jolie boîte
de métal peint. Elle retira le couvercle et
la présenta au rouge-gorge qui poussa
des cris de joie. La boîte était pleine !
La souris avait ramassé des miettes un
peu partout dans la maison : des petits
bouts de gâteau trouvés dans le salon,
des lichettes de brioche et de croissant
oubliées dans un lit, des miettes de cake
volées dans un placard…

Georges en prit une, puis deux,
et encouragé par la souris qui insistait,
il mangea sans retenue.
— Reprenez-en, reprenez-en, Monsieur
le rouge-gorge…
Et quand la boîte fut presque vide, son
hôtesse le rassura :
— Ça ne fait rien, finissez donc, j'irai
demain en chercher là-haut.
Georges ne se fit pas prier, il picora
les dernières miettes. Puis, de sa douce
voix, il remercia la souris par
un chant de Noël.

Ravie, elle l'écouta avec délices et
l'invita à rester plus longtemps. Mais
Georges devait rentrer chez lui avant la
nuit.
Il s'excusa et promit de revenir chanter
le soir de Noël. Alors, en attendant le
soir merveilleux, la petite souris déposa
chaque matin devant sa porte quelques
miettes de gâteau pour que son ami
le rouge-gorge ne l'oublie pas.